Este libro pertenece a:

....

Consultora: Fiona Moss, Asesora RE de RE Today Services
Editora: Harriet Stone
Diseñadora: James Handlon
Traductora: Macarena Salas

Publicado en los Estados Unidos por
QEB Publishing, Inc.
6 Orchard, lake Forest,
CA 92630

Información disponible sobre el registro
CIP de la Biblioteca del Congreso.

ISBN: 978 1 68297 226 7

Impreso en China

Historias y milagros de Jesús

Historias del Nuevo Testamento

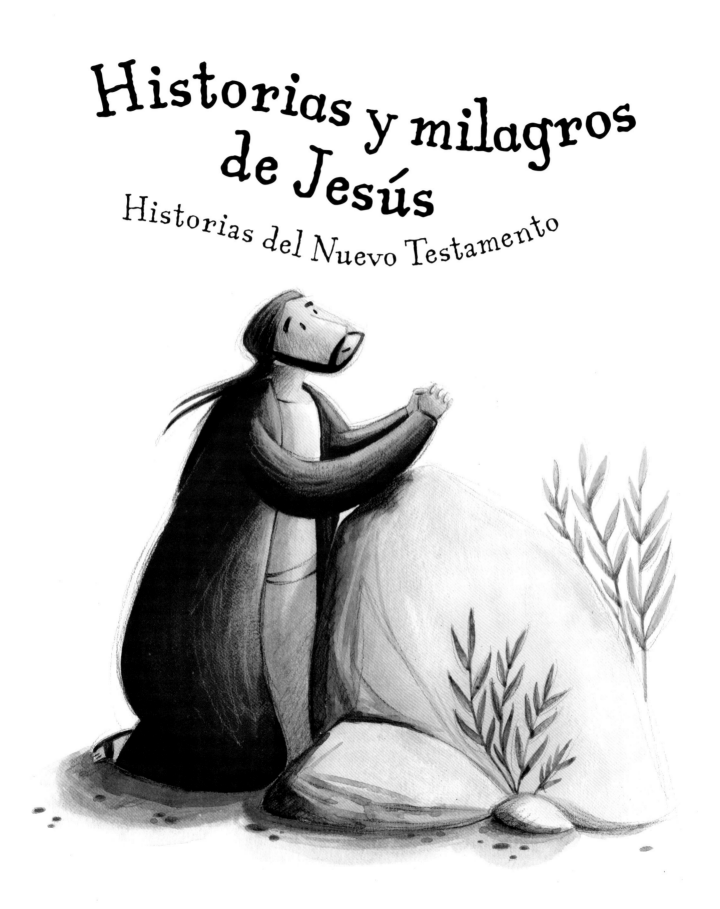

CONTENIDO

Los milagros de Jesús

Cuando Jesús era joven, iba de pueblo en pueblo para enseñar el mensaje de Dios.

Allá donde fuera, la gente acudía a escuchar sus historias.

Pronto, mucha gente había oído hablar de Jesús. Cuando llegaba a un pueblo, la gente se aglomeraba rápidamente para conocerlo.

Un día, una gran multitud siguió a Jesús hasta el lago.
No había sitio para todos, así que Jesús le preguntó
a un hombre llamado Pedro si podía usar su barca.

Pedro empujó la barca y la metió en el agua.
Ahora todos podían ver y oír a Jesús.

Mientras Jesús hablaba con
la gente, los otros pescadores
recogían sus redes.

Cuando Jesús terminó, le dijo a Pedro:
—Lleva tu barca donde el agua es
profunda y lanza tu red.

—Estuvimos pescando toda la noche y no conseguimos nada —dijo Pedro—. Pero si tú lo dices...

Pedro navegó hasta la parte más profunda del lago y lanzó su red.

¡Muy pronto, la red se llenó de peces! La red estaba tan llena que se rompió.

Pedro pidió ayuda a otra barca.

Al meter los peces, ¡las barcas
empezaron a hundirse!

Los pescadores no podían creer
cuánto habían pescado.

Pedró se arrodilló para darle las gracias a Jesús
porque pensaba que no lo merecía. Pero Jesús les
dijo: —Dejen sus barcas y síganme entonces.
¡Yo los haré pescadores de hombres!

Cuando llegaron a la costa, Pedro y los
otros pescadores, Andrés, Santiago y Juan,
dejaron sus barcas para seguir a Jesús.

Jesús eligió doce apóstoles entre sus muchos seguidores:

Andrés, el hermano de Pedro

Felipe

Bartolomé

Pedro

Santiago

Juan, el hermano de Santiago

Tomás

Mateo

Santiago, el Menor

Tadeo

Simón

Judas

—Síganme y serán los mensajeros
de Dios —dijo Jesús.

19

A Jesús le encantaba
enseñar el mensaje de Dios
y a la gente le
encantaba escucharlo.

Le seguían a todas partes.

Pero un día, Jesús estaba triste
porque su primo, Juan, había muerto.
Jesús se subió a un bote
para descansar y rezar.

Cuando regresó a la costa, la gente
seguía esperándole.

Jesús los recibió.

Empezó a predicar
y a curar a
los enfermos.

Durante todo el día, Jesús habló con la multitud.
A la caída de la tarde, los apóstoles le dijeron a Jesús:
—Es tarde y esta gente está lejos de sus casas. Deberíamos
dejar que se vayan para que compren comida.

—Ustedes pueden darles de comer —contestó Jesús.
—¡Eso costaría mucho dinero! —protestaron
los apóstoles.

—Vayan a ver cuánta comida tenemos —les dijo Jesús a sus apóstoles.

Los apóstoles se metieron entre la multitud. Regresaron con un niño que tenía cinco panes y dos peces.

–Cinco panes y dos peces
no dan para tanta gente.

–No va a ser suficiente para
dar de comer a toda
la multitud –dijeron–. ¡Hay
unas cinco mil personas!

Jesús les dijo a sus apóstoles que sentaran a toda la gente en grupos. Jesús tomó los cinco panes y los dos peces y le dio las gracias a Dios por los alimentos.

Después repartió los alimentos en unos
canastos y le dio uno a cada apóstol.

Los apóstoles repartieron
los alimentos entre la gente.

Todos comieron
lo que quisieron.

Una vez que la gente terminó de comer, los apóstoles recogieron los canastos.

Cuando regresaron, ¡los doces canastos seguían llenos de comida!

No podían creer lo que veían.

Más tarde, Jesús les dijo a sus
apóstoles que fueran al lago.
Iban a ir a un pueblo al otro lado del lago.

Los apóstoles se subieron al bote.
Jesús se quedó atrás.

—Vayan ustedes adelante
—les dijo a los apóstoles—.

Yo tengo que
hacer algo antes.

Por fin, la multitud se fue a sus casas.
Jesús se sentó solo en la montaña para rezar.

Esa misma noche,
Jesús miró al lago.

El bote estaba lejos de la costa y se mecía de lado a lado.

Los apóstoles intentaban remar en el oleaje.

Todavía estaba oscuro cuando los apóstoles vieron una figura que iba hacia ellos.

Estaban muy asustados.

—¡Es un fantasma! —gritaron.

Pero era Jesús, que iba caminando sobre el agua.

Jesús llamó a los apóstoles.

–¡Sean valientes! ¡Soy yo!

–Señor, si eres tú –contestó Pedro–, dime que vaya contigo al agua.

–Ven –dijo Jesús.

Así que Pedro salió del bote y caminó por encima del agua hacia Jesús. Pero tenía miedo y empezó a hundirse.

—¡Socorro! —gritó.

Jesús estiró la mano y agarró a Pedro.

—¿Dudaste que Dios te salvaría? —preguntó Jesús.

Cuando volvieron a subir al bote, el viento cesó.
Los apóstoles estaban asombrados.

—Eres realmente el Hijo de Dios
—le dijeron a Jesús.

Siguientes pasos

Vuelve a mirar el cuento para comentarlo.

★ Copia las acciones. Haz lo que hacen los personajes: hala las redes de pesca; junta las manos para rezar; rema en un bote; húndete en el agua como Pedro.

★ Vuelve a leer las rimas y repítelas

"¡Dejen sus barcas y síganme entonces!
Yo los haré pescadores de hombres".

y

"Cinco panes y dos peces
no dan para tanta gente".

★ Busca y cuenta dos peces, cinco panes, cinco ovejas. Cuenta los discípulos. ¿Sabes los nombres de los doce discípulos?

★ Nombra los colores. ¿De qué colores son los peces? ¿De qué color es el sombrero del niño? Busca esos colores en otras páginas.

★ Formas y tamaños. Busca los canastos, los peces y los pájaros grandes, medianos y pequeños.

Ahora que has leído la historia, ¿qué recuerdas?

★ ¿Por qué se subió Jesús a la barca de Pedro?

★ ¿Qué pasó cuando Pedro sacó la red del agua?

★ ¿Por qué estaba triste Jesús?

★ ¿Qué alimentos encontraron los discípulos?

★ ¿Cuántos canastos había con comida?

★ ¿Quién caminó por encima del agua?

¿Cuál es el mensaje de esta historia?
Debemos confiar en Dios porque
Él nos da todo lo que necesitamos.

El buen samaritano

Jesús era un gran narrador. La gente acudía desde muy lejos para escuchar las historias que contaba sobre Dios y su reino.

Un día, Jesús contó esta historia para explicar
a la gente cómo quería Dios que se trataran
los unos a los otros…

—Un hombre emprendió un largo viaje desde Jerusalén a Jericó. Salió de la ciudad y muy pronto se encontró caminando por las colinas solitarias.

Al hombre le daban un poco de miedo las sombras de los acantilados. En las cuevas de las rocas podría haber animales salvajes.

Podría haber...

–¡Ladrones!

De pronto, salió una banda de ladrones
que estaba escondida en las rocas.

Los ladrones atacaron al hombre. ¡PLAF!

Lo golpearon y le robaron todo lo que tenía. Después lo dejaron tirado en el camino.

—Pasó el tiempo y el hombre seguía allí
tirado bajo el sol abrasador.

Estaba sediento. Le dolía la cabeza, las heridas
y los golpes que le habían dado.

El hombre necesitaba ayuda.
¿Cuánto tiempo tendría que esperar?

—Por fin, oyó unas pisadas.

—¡Ayuda!

Era un sacerdote de un templo de Jesuralén. Seguro que a él le habían enseñado que Dios se detendría para ayudar a quien necesitara ayuda.

El sacerdote vio al hombre en el suelo, pero no se acercó.

"Si me detengo llegaré tarde —dijo y siguió su camino".

—Más adelante, el hombre volvió a oír pisadas.

—¡Ayuda!

Era alguien que ayudaba al sacerdote
en el templo.
¿Tendría tiempo para ayudarlo?

Cuando se acercó a ver qué pasaba, el hombre le explicó
que le habían atacado unos ladrones.

"¡A lo mejor los ladrones siguen cerca!" pensó.

Y él también siguió su camino.

—Mucho más tarde, el hombre oyó el sonido de unos cascos.

¡Clip clop!

Después oyó unas pisadas...

¡Ayuda!

¡Oh, no! Era un forastero; un hombre de Samaria.
La gente de Jerusalén no hablaba con los samaritanos.
No se llevaban bien.

¿Por qué iba
a ayudarlo?

—Pero el samaritano se detuvo. No le preocupaba llegar tarde ni que los ladrones regresaran.

Le dio de beber al hombre.
Le limpió sus heridas y le vendó la cabeza.

Después lo levantó con cuidado y lo subió a su burro.

—El samaritano guió al burro por el camino rocoso hasta llegar a una posada.

"Necesito que alguien cuide a este pobre hombre —le dijo al posadero—. Lo atacaron unos ladrones".

—Al día siguiente, el samaritano le
dio dinero al posadero y le dijo:

"Deja que se quede y cuida de él.
Si quieres más dinero, yo te lo daré".

El samaritano se puso en camino
y prometió que regresaría.

Jesús miró a la gente que estaba escuchando la historia.

—¿Cuál de los tres hombres hizo lo que Dios quería que hicieran? —preguntó.

—El hombre que mostró misericordia —contestó alguien.

—Ahora vayan y hagan lo mismo —dijo Jesús—. Compartan el amor de Dios con todo el que necesite su ayuda, aunque sea un desconocido.

Siguientes pasos

¿Qué quiere Jesús que aprendamos con la historia del buen samaritano?

Dios quiere que seamos amables con la gente y compartamos el amor de Dios con todos los que necesiten ayuda.

Puedes encontrar esta historia en la Biblia, en Lucas 10. "Ama a tu prójimo como a ti mismo". (Lucas 10:27).

Ahora que has leído la historia, aquí tienes algunas ideas para comentarla.

* Nombra a tus seres queridos. ¿Alguna vez los has ayudado?
* ¿Alguna vez has necesitado ayuda?
* ¿Alguna vez te ayudó alguien que no conocías?
* ¿Crees que es importante conocer a una persona para ayudarla?

Aquí tienes algunas actividades para cuando vuelvas a leer esta historia.

* ¿Cuántos animales ves en los dibujos? ¿De qué colores son?
* Intenta memorizar la rima del samaritano:

    "Deja que se quede y cuida de él.

    Si quieres más dinero, yo te lo daré".

* Cuenta uno, dos y tres. Busca y cuenta un perro, dos lagartijas y tres pájaros.
* Señala y repite las palabras que indican sonidos, como "¡plaf!" "clip clop" e "iiija".
* Copia las acciones. Haz lo que hacen los personajes: camina por el sendero; cuida al hombre herido; paga al posadero y di adiós con la mano.

El sembrador

Jesús contaba historias para explicar el mensaje de Dios. A la gente le gustaba escucharlas.

Sus historias trataban de la vida cotidiana, pero hacían que la gente pensara y se hiciera preguntas.

Un día, mientras hablaba con una multitud,
Jesús señaló a alguien que trabajaba en el campo.

La gente lo observó. El hombre caminaba
por el campo mientras tiraba semillas a la tierra.

Jesús les contó la historia
del sembrador...

—Una tarde, un campesino dijo: "El campo ya está listo para sembrar la cosecha".

A la mañana siguiente, muy temprano, el sembrador llenó un saco grande de semillas. Se lo echó al hombro y se fue al campo.

—El hombre recorrió el campo arado de un lado a otro.
Caminaba lentamente pero sin detenerse.

Mientras caminaba, lanzaba
puñados de semillas al aire.

¡Plaaas!

¿Dónde caían las semillas?

—Algunas semillas caían cerca.
Otras se las llevaba el viento.

El sembrador lanzaba semillas
y no le importaba dónde caían.

Ya lo descubriría
más adelante,
cuando brotaran.

—Algunas semillas cayeron en el camino.
La gente las pisoteó...

¡CRIC!

¡CRAC!

¡y los pájaros hambrientos se las comieron!

—Algunas semillas cayeron sobre unas rocas.

Las semillas germinaron, pero necesitaban agua. Pronto sus pequeños tallos se marchitaron y se secaron con el calor del sol.

Algunas semillas cayeron junto a unos espinos. Crecieron raíces y tallos, pero los espinos eran más fuertes y las ahogaron.

—Otras semillas cayeron en la tierra buena. Crecieron raíces profundas y tallos grandes y verdes.

El sembrador se puso muy contento al ver las plantas fuertes que habían crecido.

"Me parece que esta cosecha
va a ser buena", dijo.

—Por fin llegó el momento de cosechar.

"¡Es hora de recoger la cosecha!"
dijo el sembrador.

¡GUAU!

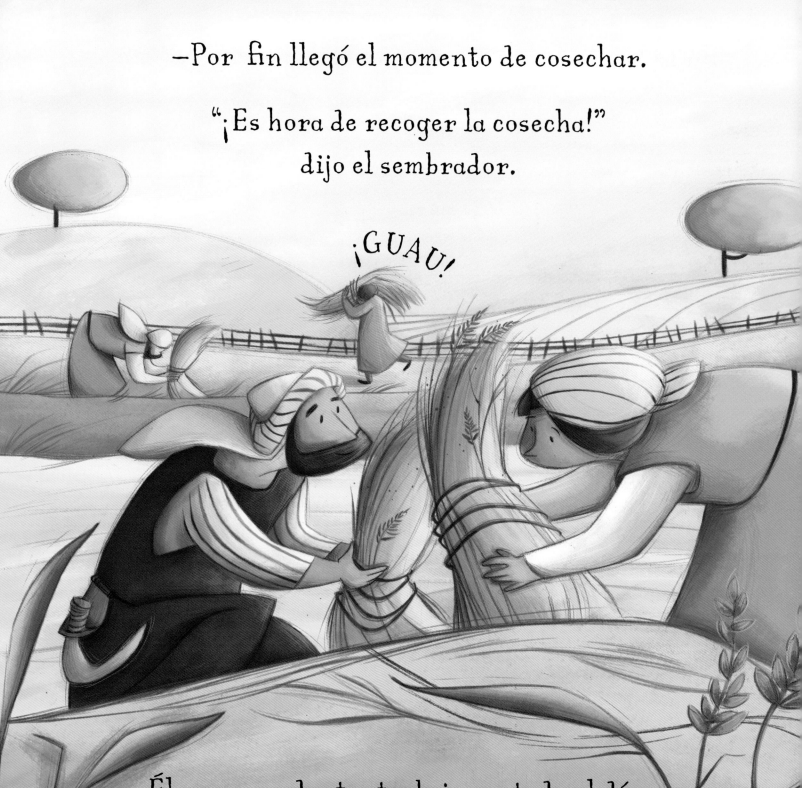

Él y sus ayudantes trabajaron todo el día
y recogieron las espigas doradas de trigo.

En cada planta había nuevas semillas, cien veces más de las que había sembrado el sembrador.

—¿Cuál es el mensaje de esta historia?
—preguntó uno de los amigos de Jesús.

—Las semillas son como la palabra de Dios —dijo Jesús—. Algunas personas no escuchan y la palabra de Dios desaparece, como las semillas que se comieron los pájaros.

—A algunas personas les gusta escuchar la palabra de Dios, pero cuando vienen los problemas, se marchitan y se mueren como las semillas que cayeron sobre las rocas.

—Algunas personas escuchan y aceptan las enseñanzas de Dios, pero están tan ocupadas que su entendimiento no crece, como las semillas que cayeron entre los espinos.

—Pero hay otras personas que realmente escuchan
a Dios y entienden lo que Él quiere que hagan.

—Son como las semillas que cayeron en la tierra buena y se convirtieron en plantas que dieron nuevas semillas.

—Esas personas hacen lo que Dios les pide y triunfan en la vida.

Siguientes pasos

¿Qué quiere Jesús que aprendamos con la historia del sembrador?

Jesús quiere que la gente abra su corazón a la palabra de Dios, que escuchen atentamente y hagan lo que Él les pide.

Puedes encontrar esta historia en la Biblia, en Lucas 8. "La semilla es la palabra de Dios". (Lucas 8:11)

Ahora que has leído la historia, aquí tienes algunas ideas para comentarla.

* ¿Alguna vez has plantado semillas? ¿Qué pasó con las semillas?
* ¿Qué semillas germinaron y se hicieron grandes y fuertes en la historia?
* ¿Qué dijo Jesús que representaban las distintas semillas?
* ¿Qué quiere Jesús que hagamos todos?

Aquí tienes algunas actividades para cuando vuelvas a leer esta historia.

* Nombra los colores de la ropa del sembrador.
* Intenta memorizar la rima: "El sembrador lanzaba semillas
  y no le importaba dónde caían".
* Cuenta los pájaros. ¿Cuántos hay?
* Señala y repite las palabras que indican sonidos,
  como "¡plas!", "¡cric! ¡crac!" y "¡guau!"
* Copia las acciones. Haz lo que hacen los personajes: camina
  por el campo lanzando semillas; espanta a los pájaros hambrientos;
  recoge la cosecha.

La oveja perdida

Jesús contaba historias para explicar el mensaje de Dios
y muchas personas acudían a escucharlo.

Algunas personas eran buenas. Algunas eran malas.
Otras se habían metido en problemas.

Jesús aceptaba a todas.

Algunos pensaban que Jesús solo debía
ser amigo de las personas buenas.

Un hombre le preguntó:
—¿Por qué pasas tanto tiempo
con las personas malas?

Jesús les contó esta historia
para explicárselo...

—Había una vez un pastor que tenía cien ovejas. Todos los días las llevaba a pescar pasto fresco.

Siempre se aseguraba de que sus ovejas tuvieran agua para beber. Cuidaba muy bien a su rebaño.

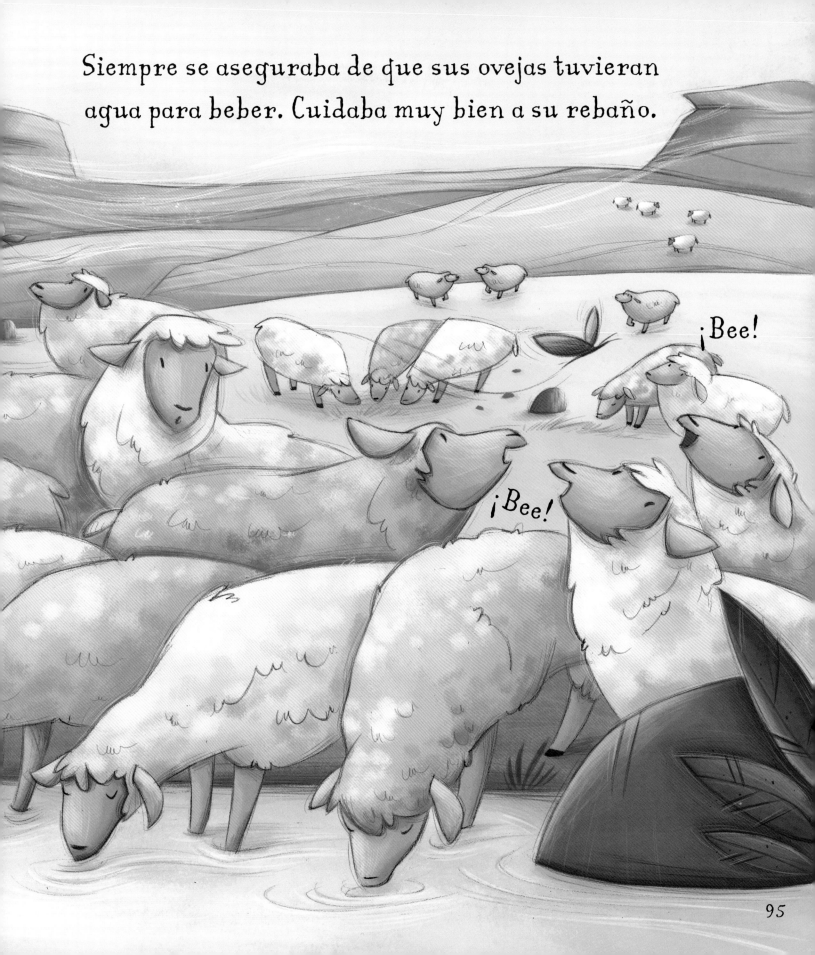

95

—Todas las noches, el pastor contaba sus ovejas para comprobar que habían vuelto sanas y salvas.

Una noche, empezó a contarlas, como siempre,
pero solo llegó al número noventa y nueve.

¡Faltaba una oveja!

—Seguramente la oveja se había alejado y estaba perdida.

Al pastor le preocupaba esa
oveja tanto como las demás.
Tenía que encontrarla.

Como sabía que las noventa y
nueve ovejas estaban a salvo,
salió a buscar la oveja perdida.

—El pastor buscó la oveja perdida
por todas las colinas.

Buscó en todas las cuevas...

entre las rocas y
debajo de los arbustos.

El tiempo corría y no oía ni un solo balido de la oveja.

Pero el pastor no abandonó su búsqueda.

—Por fin, oyó un sonido muy débil.

Siguió el sonido.
Ahora era más fuerte.

¡BEE!

¡Ahí estaba la oveja perdida!

—El pastor estaba muy contento.

Tomó a la oveja en sus brazos
con cuidado y se la puso
encima de los hombros.

La cargó hasta llegar a su casa.

—Cuando llegó el pastor, les dijo a sus amigos:
"Mi oveja se alejó y de pronto, estaba perdida.
Hagamos una fiesta para darle la bienvenida".

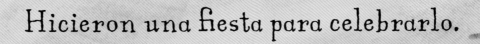

Hicieron una fiesta para celebrarlo.

—Cuando pierden algo valioso y después lo encuentran,
¿no se sienten felices? —les preguntó Jesús
a los que estaban escuchándole.

—Eso es lo que hace Dios —dijo—.

Y por eso yo paso tiempo con las personas
que eligieron el camino equivocado
y con las que se metieron en problemas.

—Dios es como el pastor de la historia
y nosotros somos sus ovejas.

—Cuando alguien regresa con Dios, Él se siente feliz. No quiere que nadie se pierda.

Siguientes pasos

¿Qué quiere Jesús que aprendamos con la historia de la oveja perdida?

Dios es feliz cuando alguien que se ha metido en problemas vuelve con Él. Puedes encontrar esta historia en la Biblia, en Lucas 15. "Habrá alegría en el cielo cuando alguien vuelva con Dios". (Lucas 15:7).

Ahora que has leído la historia, aquí tienes algunas ideas para comentarla.

* ¿Alguna vez has perdido algo especial? ¿Cómo te sentiste?
* ¿Lo encontraste? ¿Cómo te sentiste entonces?
* ¿Quién dice Jesús que es como el pastor?
* ¿Por qué es bueno ser una de sus ovejas?

Aquí tienes algunas actividades para cuando vuelvas a leer esta historia.

* ¿Qué colores ves en la ropa del pastor y en la de sus amigos?
* Intenta memorizar la rima: "Mi oveja se alejó y de pronto, estaba perdida. Hagamos una fiesta para darle la bienvenida".
* Cuenta los amigos con los que habló el pastor cuando regresó con la oveja perdida.
* Señala y repite las palabras que indican sonidos suaves y fuertes: "bee" y "BEE".
* Copia las acciones. Haz lo que hacen los personajes: cuenta las ovejas; busca la oveja perdida; carga a la oveja encima de los hombros.

Las dos casas

Jesús no solo quería que las personas escucharan y entendieran sus palabras.

Tambien quería que hicieran lo que él les pedía.

Por eso, Jesús les contó esta historia.

—Un día, un hombre decidió construir una casa.

"Tengo todo planeado, hasta el último detalle", le dijo a su amigo.

Primero, compró un terreno lleno de rocas.

Empezó a cavar hoyos
en la tierra.

Era un trabajo
muy duro.

Hacía mucho
calor.

"Una buena casa necesita cimientos resistentes", le dijo a su amigo.

El hombre se aseguró de que todo estuviera bien construido.

Por fin terminó su casa encima de las rocas.
Estaba muy contento con su trabajo.

Todos admiraban su casa.

Su amigo decidió que él también quería
construir una casa. "Sería más fácil construirla
en un terreno más blando", pensó.

Su amigo compró un terreno cerca del río.
Como el suelo era blando y arenoso,
le resultaba fácil cavar.

"Construir una casa no cuesta tanto trabajo", pensó.

En poco tiempo, él también terminó su casa.

Los dos hombres se sentían
orgullosos de sus casas.

Ahora podrían disfrutar del verano y cuando llegara el invierno, estarían protegidos del frío y las lluvias.

Un día, el cielo se cubrió de nubes oscuras.
Empezó a soplar el viento.

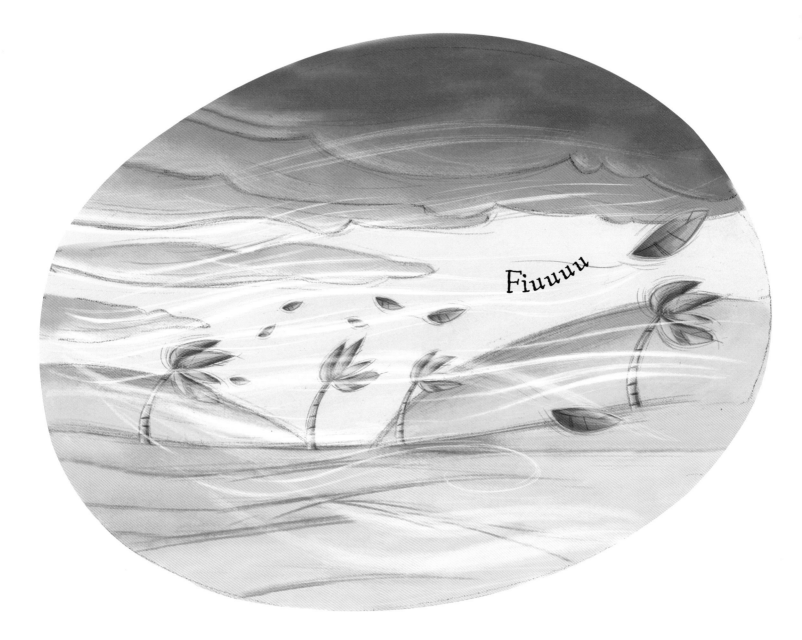

Fiuuuu

Llovía sin parar.

Plip! Plop!

El río creció y el agua salpicaba la arena.

El viento entraba por las ventanas, pero la casa construida sobre las rocas se mantenía firme.

La casa en la arena se tambaleaba
y las paredes crujían y temblaban...

Hasta que se oyó un gran
ESTRUENDO y un CRUJIDO,
y la casa en la arena se derrumbó.

Jesús miró a las personas que estaban escuchándolo.

—Mis palabras son como las rocas —dijo Jesús.

—Si construyen su vida sobre ellas, será resistente,
como la casa construida sobre las rocas.

Siguientes pasos

¿Qué quiere Jesús que aprendamos con la historia de las dos casas?

Jesús quiere que la gente escuche sus palabras y las pongan en práctica. Puedes encontrar esta historia en la Biblia, en Lucas 6. "¿Por qué... no hacen lo que yo digo?" (Lucas 6:46)

Ahora que has leído la historia, aquí tienes algunas ideas para comentarla.

★ ¿Alguna vez has construido algo? ¿Qué herramientas usaste?

★ ¿Qué hacen los constructores antes de construir algo?

★ ¿Por qué es bueno construir encima de las rocas?

★ ¿Sobre qué quiere Jesús que la gente construya su vida?

Aquí tienes algunas actividades para cuando vuelvas a leer esta historia.

★ Nombra los colores de las casas que construyeron los hombres.

★ Intenta memorizar la rima: "La casa en la arena se tambaleaba

y las paredes crujían y temblaban..."

★ Cuenta los pájaros. ¿Cuántos hay?

★ Señala y repite las palabras que indican sonidos, como "¡uff!", "fiuuu" y "¡plip! ¡plop!"

★ Copia las acciones. Haz lo que hacen los personajes: cava hoyos; pon ladrillos; intenta protegerte de la lluvia y el agua; recoge hojas.